Catalogage avant publication de Bibliothèque et Archives nationales du Québec et Bibliothèque et Archives Canada

Latulippe, Martine, 1971-

    Surprise sur glace

    (L'alphabet sur mille pattes; 21)
    Pour enfants de 6 ans et plus.

    ISBN 978-2-89591-216-3

    I. Boulanger, Fabrice. II. Titre. III. Collection : Alphabet sur mille pattes; 21.

PS8573.A781S97 2014   jC843'.54   C2014-941015-8
PS9573.A781S97 2014

Correction et révision : Annie Pronovost

Tous droits réservés
Dépôts légaux : 3e trimestre 2014
Bibliothèque nationale du Québec
Bibliothèque nationale du Canada
ISBN : 978-2-89591-216-3

© 2014 Les éditions FouLire inc.
4339, rue des Bécassines
Québec (Québec) G1G 1V5
CANADA
Téléphone : 418 628-4029
Sans frais depuis l'Amérique du Nord : 1 877 628-4029
Télécopie : 418 628-4801
info@foulire.com

Les éditions FouLire reconnaissent l'aide financière du gouvernement du Canada par l'entremise du Fonds du livre du Canada pour leurs activités d'édition.

Elles remercient la Société de développement des entreprises culturelles du Québec (SODEC) pour son aide à l'édition et à la promotion.

Elles remercient également le Conseil des arts du Canada de l'aide accordée à leur programme de publication.

Gouvernement du Québec – Programme de crédit d'impôt pour l'édition de livres – gestion SODEC.

IMPRIMÉ AU CANADA/PRINTED IN CANADA

Surprise
sur glace

Auteure : Martine Latulippe
Illustrations : Fabrice Boulanger

L'Alphabet sur mille pattes

On ne s'ennuie jamais
dans la classe
de madame Zoé!

Les élèves font
toutes sortes d'activités
sportives.

Et le prénom de chacun
commence par une lettre
différente de l'alphabet.

Découvre l'aventure
de **G**abriel, d'**H**éloïse
et d'**I**saac.

Bienvenue dans le monde
du hockey!

Chapitre 1

Gabriel
le grognon

Youpi! Depuis plusieurs jours, la neige tombe!

Les patinoires sont glacées.

Les élèves de madame Zoé sont enchantés!

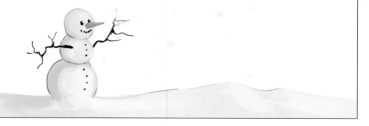

Pourquoi?

Parce que madame Zoé a eu une excellente idée.

Et même, une idée de génie! Oui, oui!

Elle a organisé une partie de hockey, à l'extérieur.

Ce matin, tous les élèves se dirigent vers la patinoire.

Hourra !

Ils portent des gants, des tuques, tout ce qu'il faut pour se garder au chaud et ne pas grelotter !

Gabriel et Ugo sont les capitaines des deux équipes.

Ils doivent choisir les joueurs qui formeront chacun des groupes.

Gabriel prend un des gars de la classe, Ugo en nomme un autre.

Tous les garçons sont vite repêchés.

Même Isaac, qui ne sait pas patiner!

Pas grave, Gabriel le nomme gardien de but!

Madame Zoé fait une petite grimace :

– Vous auriez pu choisir des filles, aussi...

Gabriel grogne :

– Je veux bien être gentil, mais je veux surtout gagner...

Une à une, les filles de la classe sont enfin appelées.

Il ne reste que la timide Héloïse.

Quand on forme des groupes, en classe, tous veulent être avec elle.

Elle a toujours de bonnes notes.

Mais sur la glace, que fera-t-elle?

Gabriel choisit le dernier.

Il grommelle :

– Bon, pas le choix ! Viens avec nous, Héloïse !

D'habitude, madame Zoé est très patiente. Elle ne se fâche jamais.

Mais ce matin, elle pousse un gros soupir.

On dirait qu'elle grince des dents!

– Je ne suis vraiment pas fière de vous, les garçons.

Héloïse ne semble pas s'en faire...

Elle lance un clin d'œil amusé à madame Zoé.

Les équipes sont formées.

De gros flocons se mettent à tomber.

C'est magique !

Madame Zoé retrouve vite sa bonne humeur.

L'ÉQUIPE DE GABRIEL LE GROGNON VA-T-ELLE GAGNER ?

LAISSERA-T-IL HÉLOÏSE JOUER ?

Chapitre 2

La timide
Héloïse

Gabriel et Ugo se préparent pour la mise au jeu.

Gabriel est le champion de sa ligue.

Le meilleur compteur de son club.

Il prend le hockey très au sérieux.

Il se concentre comme si la coupe Stanley était en jeu!

Gabriel est toujours prêt à jouer au hockey.

Qu'il vente ou qu'il neige, il est sur la patinoire.

Même en pleine tempête!

Quand il fait très froid, il continue de s'entraîner, heureux comme un roi!

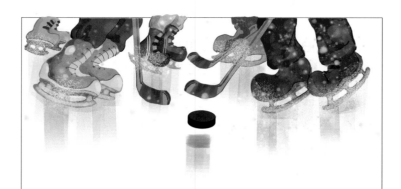

Ça y est, la partie débute !

Les équipes s'élancent sur la glace.

Il ne fait pas chaud du tout, mais tous sont bien habillés.

Coincé dans son équipement de gardien de but, Isaac se sent comme un hippopotame sur un lac glacé.

Ho! Ha! Ouille!

Il n'arrête pas de tomber!

C'est au tour d'Héloïse de jouer.

Sans hésiter, elle fonce sur la glace et...

Hou là là !

Quelle surprise !

La timide Héloïse n'est plus timide du tout !

Les élèves ouvrent de grands yeux ronds.

On dirait des hiboux !

Héloïse file sur la patinoire.

Zim ! Zam ! Zoum !

Quelle habileté !

Elle prend la rondelle et déjoue facilement Delphine, qui garde le but de l'autre équipe.

Elle patine à toute vitesse.

Elle vole presque sur la glace, elle tourbillonne comme un hélicoptère !

Hourra !

L'équipe de Gabriel prend les devants 5 à 2.

Le capitaine est content !

Tout le monde est hypnotisé par la patineuse.

Zoum ! Zam ! Zim !

Madame Zoé se penche vers Gabriel et Ugo pour la mise au jeu.

Elle chuchote d'un ton malicieux:

– Ça vous apprendra à ne pas vouloir de filles dans votre équipe!

Héloïse est une véritable étoile du hockey!

Et personne ne le savait.

Héloïse n'est pas le genre à se vanter...

OÙ A-T-ELLE APPRIS À JOUER?

COMMENT PEUT-ELLE ÊTRE SI RAPIDE SUR SES PATINS?

Chapitre 3

Isaac
l'imaginatif

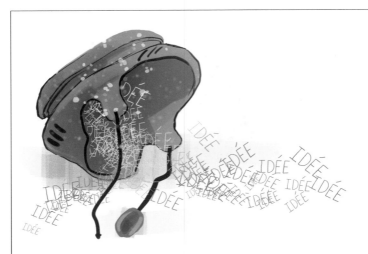

Sur la patinoire, Isaac n'est peut-être pas très bon, mais il déborde d'imagination!

Il invente toutes sortes de styles pour garder le but.

Il a des idées plein son casque!

À quatre pattes sur la glace, il jappe comme un chien.

Waf! Waf!

La rondelle frappe son épaule.

Il a réussi son arrêt!

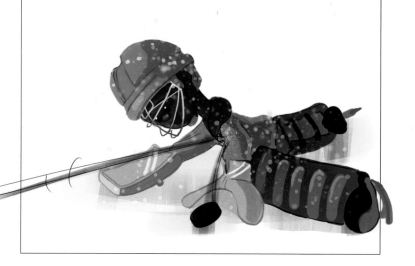

Ugo dirige un tir vers lui...

Isaac saute sur place
comme un kangourou.

Il agite ses bras et il bloque
le disque par accident.

Boum!

Il est si drôle que les joueurs des deux équipes l'applaudissent!

Il s'incline pour faire une révérence... et il tombe sur la glace!

Il n'arrive plus à se relever!

La partie de hockey est un immense succès.

Tout le monde a beaucoup de plaisir!

Les joueurs entrent dans le vestiaire, tout sourire.

Ils enlèvent leurs patins.

Gabriel interroge Héloïse:

– C'est inouï! Tu es tellement bonne! Joues-tu souvent?

Héloïse a retrouvé sa timidité.

Elle rougit sous le compliment.

– Je fais du patinage de vitesse depuis que je suis toute petite.

Gabriel est intrigué :

– Ça explique pourquoi tu sais patiner, mais qui t'a appris à jouer au hockey ?

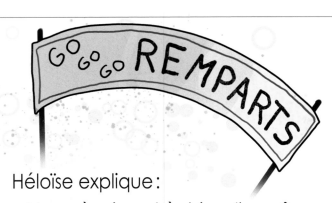

Héloïse explique :

– Mon père joue très bien. Il a même fait partie des Remparts de Québec quand il était jeune. Il me donne des trucs.

Gabriel s'informe :

– A-t-il déjà rencontré Patrick Roy ?

– Oui, plusieurs fois !

Gabriel n'en revient pas ! Il crie :

– Incroyable ! C'est mon idole ! Tu ne nous en as jamais parlé, Héloïse !

– Je ne savais pas que c'était important...

Madame Zoé intervient :

– Elle a bien raison. On ne doit pas juger les gens trop vite...

Les patins sur le dos, les joues bien rouges, les élèves de madame Zoé retournent à l'école en file indienne.

Exactement comme ce matin !

Sauf que cette fois… Héloïse est bien entourée !

Tous ont mille questions à lui poser !

Madame Zoé taquine Gabriel :

– La prochaine fois, je pense que tu repêcheras Héloïse un peu plus vite…

Gabriel répond immédiatement :

– Alors là, non ! Pas question !

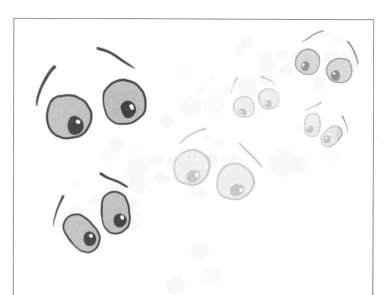

Les élèves s'immobilisent d'un coup.

Tous les yeux se tournent vers Gabriel,
étonnés.

Gabriel sourit et explique :

– La prochaine fois, c'est Héloïse qui sera capitaine ! Et j'espère qu'elle voudra bien de moi dans son équipe !

L'Alphabet sur mille pattes

SÉRIE LES ANIMAUX

Texte : Yvon Brochu
Illustrations : Marie-Claude Demers, Joanne Ouellet, Roxane Paradis

1. Panique sur le petit lac	A B C
2. Au secours, mon tuba !	D E F
3. Au voleur de médailles !	G H I
4. Manège en folie !	J K L
5. Haut les pattes, gros pirate !	M N O
6. Pas de chicane dans ma Cour !	P Q R
7. Train en danger	S T U
8. Ouvrez l'œil, monsieur Will !	V W X
9. De l'orage dans l'air !	Y Z - AZ

SÉRIE LA CLASSE DE MADAME ZOÉ
Le monde des arts
Texte : Martine Latulippe
Illustrations : Fabrice Boulanger

Le monde des sports